영어 쓰기와 기초 단어 학습

영어펜글씨교본

PENMANSHIP

A B C D E F G H I J K L M N O P Q R S T U V W X Y Z
a b c d e f g h i j k l m n o p q r s t u v w x y z

A B C D E F G H I J K L M N O P 2 R S T U V W X Y Z
a b c d e f g h i j k l m n o p q r s t u v w x y z

머리말

이 책은 세계적으로 널리 사용되고 있는 영어를 처음 대하는 여러분에게 영어 쓰는 법을 설명하고자 합니다. 영어는 매우 중요한 학과목이며 장래 사회 생활에 있어서 요긴한 구실을 할 언어이기 때문에 그 기초인 쓰기에서부터 정확하게 습득하여야 합니다.

영어의 글씨체에는 인쇄할 때 쓰이는 활자체(인쇄체)와 활자체를 약간 변형시켜 쓰기 쉽도록 만든 블록체, 잇달아서 빨리 쓰는데 쓰이는 필기체 등 세 가지가 있습니다.

영어의 알파벳은 26자로, 자음자 21개와 모음자 5개(A·E·I·O·U)로 되어 있으며 각각 대문자(A·B·C…)와 소문자(a·b·c…)로 되어 있지만 읽는 법은 같습니다.

이 책을 기본으로 올바르고 예쁜 글씨쓰기를 익히고 책 뒷부분의 단어 소개를 참고하여 영어에 대한 호기심을 늘려가시기 바랍니다.

펜을 잡는 법

1. 펜은 연필을 잡는 것과 같은 법으로 잡고, 펜대의 경사도는 45° 정도가 보통이지만, 붓과 같이 힘을 주지 말고 가볍게 잡아야 한다.
2. 펜대를 필요 이상으로 힘주어 잡거나, 펜을 너무 기울이거나 세우면 손가락과 손목이 잘 움직여 주지 않아 운필이 자유롭지 않다.
3. 지면에 손목을 굳게 붙이면 손가락 끝만으로 쓰게 되는 것이 된다. 손가락 끝이나 손목에 의하지 말고 팔로 쓰는 것같이 해야 한다.
4. 삐침의 요령은 너무 힘을 들이지 않고 가볍게 가지고 자유로이 손을 움직이게 하여야 한다. 반흘림이나 흘림인 경우에는 펜대를 점점 높이 잡는 것이 글씨 쓰기 좋다.

펜촉과 잉크의 선택

펜촉…펜촉의 종류는 여러가지가 있으나 보통 서사용으로는 그림과 같은 스푸운펜이나 지이 (G)펜이 많이 쓰인다. 펜촉을 살 때에는 끝의 갈라진 두 쪽의 높이와 크기가 같은 것을 골라야 한다.

펜대…문방구점에서 팔고 있는 것으로서 가볍고 잡기 좋은 것이면 무방하다.

펜대…잉크의 빛깔은 진한 흑색이 좋다.

주의할 점

1. 펜을 쓰고 난 다음에는 깨끗이 닦아 두도록 한다.
2. 잉크병 바닥에 펜촉을 찧지 않도록 한다.
3. 잉크를 너무 많이 묻혀서 잉크방울이 떨어지는 일이 없도록 한다.
4. 잉크를 쏟거나 손에 묻히지 않도록 항상 주의한다.
5. 펜촉을 어느 한 쪽으로만 쓰는 버릇이 들지 않도록 한다.

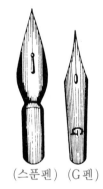

(스푼펜) (G펜)

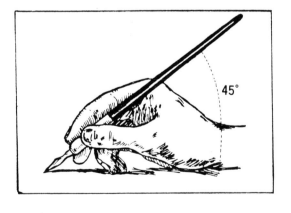

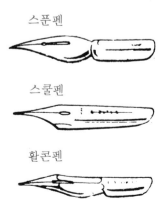

스푼펜

스쿨펜

활콘펜

펜글씨 쓰기의 기본 동작

블록체 대문자 쓰기

A 「에」는 강하게 「이」는 가볍게 붙여서 발음한다.

A [ei 에이]

사과〈애플 · apple〉

A A A A A A A A A A A

A A A A A A A A A A A

B 두 입술을 가볍게 붙였다가 떼면서 「비−」 길게 발음한다.

B [bi: 비−]

책〈북 · book〉

B B B B B B B B B B B

B B B B B B B B B B B

C 윗니와 아랫니 사이로 나는 「시」를 강하게 발음한다.

C   [si: 시-]

카메라〈캐머러 · camera〉

C C C C C C C C C C

C C C C C C C C C C

D 윗니 뒤에 혀끝을 살짝 대었다가 떼면서 소리낸다.

D   [di: 디-]

개〈도그 · dog〉

D D D D D D D D D D

D D D D D D D D D D

＊이어 쓰기

A B C D

E 혀의 위치를 우리말의 「이」보다 높게 하여 길게 발음한다.

[i: 이-]

달걀〈에그 · egg〉

F 윗니로 아랫 입술을 눌러 「에」 그리고 잇달아 「프」를 발음한다.

[ef 에프]

물고기〈피시 · fish〉

＊이어 쓰기

G 입천장에 혓바닥을 가까이 하고 「지-」 발음한다.

G [dʒiː 지-]

유리잔〈글래스 · glass〉

G G G G G G G G G G

G G G G G G G G G G

H 「에」는 강하게 「이치」는 약하게 한꺼번에 발음한다.

H [eitʃ 에이치]

모자〈햇 · hat〉

＊이어 쓰기

GH

I 「아」는 강하게 「이」는 약하게 뒤에 붙여서 발음한다.

[ɑi   아이]

잉크〈잉크 · ink〉

J 혀를 입천장에 대고 「제」는 세게 「이」는 약하게 발음한다.

[dʒei   제이]

주스〈주스 · juice〉

*이어 쓰기

K

혀의 뒷부분을 입천장에 대고 「케」는 강하게 「이」는 약하게 발음한다.

[kei 케이]

왕〈킹 · king〉

L

혀끝을 윗니 뒤에 붙여 「엘」 발음한다.

[el 엘]

사자〈라이언 · lion〉

＊이어 쓰기

「에」는 강하게 발음하고 「ㅁ」은 입을 다물어 콧소리로 낸다.

[em 엠]

어머니〈머더 · mother〉

허끝을 윗니 안쪽에 대면서 강하게 「ㄴ」소리를 낸다.

[en 엔]

공책〈노트북 · notebook〉

＊이어 쓰기

MN

O 입을 둥글게 하여 「오」를 세게 「우」는 가볍게 소리를 낸다.

[ou 오우]

오렌지〈오린지 · orange〉

○ ○ ○ ○ ○ ○ ○ ○ ○ ○

○ ○ ○ ○ ○ ○ ○ ○ ○ ○

P 위 아래 입술을 붙였다가 「피-」하고 발음한다.

[pi: 피-]

펜〈펜 · pen〉

P P P P P P P P P P

P P P P P P P P P P

*이어 쓰기

OP

Q 입술을 둥글게 하여 강하고 점점 약하게 「큐-」로 발음한다.

Q

[kyu: 큐-]

여왕〈퀸 · queen〉

QQQQQQQQQQ

QQQQQQQQQQ

R 입을 크게 벌려 혀끝을 말며 「아-ㄹ」로 발음한다.

R

[ɑːr 아-ㄹ]

장미〈로즈 · rose〉

RRRRRRRRRR

RRRRRRRRRR

*이어 쓰기

QR

S 「에」는 강하게 「스」는 약하게 발음한다.

S [es 에스]

태양〈선 · sun〉

S S S S S S S S S

S S S S S S S S S

T 「티」, 「ㅌ」을 강하게 발음한다.

T [ti: 티-]

전화〈텔리폰 · telephone〉

＊이어 쓰기

S

16

U 입을 둥글게 내밀고 「이」「우」를 한꺼번에 강하게 발음한다.

[ju: 유-]

우산〈엄브렐러 · umbrella〉

U U U U U U U U U U

U U U U U U U U U U

V 윗니를 아랫 입술에 대고 밖으로 밀며 발음한다.

[vi: 비-]

바이얼린〈바이얼린 · violin〉

V V V V V V V V V V

V V V V V V V V V V

＊이어 쓰기

UV

17

W 「더」는 발음을 강하게 「불유-」는 약하게 붙여서 발음한다.

W ₁↓ ₂↓ ₃ ₄

[dʌ́bljúː 더블유-]

창문〈윈도 · window〉

X 「엑」은 강하게 「스」는 가볍게 붙여서 발음한다.

X ₁↓ ₂

[eks 엑스]

실로폰〈자일러폰 · xylophon〉

*이어 쓰기

WX

18

Y

위 아래 입술을 오므렸다가 벌리며 「와」는 세게 「이」는 약하게 발음한다.

[wai 와이]

요트〈요트 · yacht〉

Z

「지」라고 세게 하며 길게 발음한다.

[zed/zi: 지-]

동물원〈주 · zoo〉

*이어 쓰기

블록체 대문자 이어 쓰기

ABCDEFGHIJKLM

ABCDEFGHIJKLM

NOPQRSTUVWXYZ

NOPQRSTUVWXYZ

블록체 소문자 쓰기

a 「에」는 강하게 「이」는 가볍게 붙여서 발음한다.

a [ei 에이]

천사〈에인절 · angel〉

b 두 입술을 가볍게 붙였다가 때면서 「비-」 길게 발음한다.

b [bi: 비-]

버스〈버스 · bus〉

c 윗니와 아랫니 사이로 나는 「시」를 강하게 발음한다.

ĉ　　[si:　시-]

자동차〈카 · car〉

c　　c　　c　　c　　c　　c　　c　　c　　c　　c

c　　c　　c　　c　　c　　c　　c　　c　　c　　c

d 윗니 뒤에 혀끝을 살짝 대었다가 떼면서 소리낸다.

d　　[di:　디-]

책상〈데스크 · desk〉

d　　d　　d　　d　　d　　d　　d　　d　　d　　d

d　　d　　d　　d　　d　　d　　d　　d　　d　　d

＊이어 쓰기

a　b　c　d

23

e 혀의 위치를 우리말의 「이」보다 높게 하여 길게 발음한다.

$\widehat{e}^2$ [iː 이-]

코끼리〈엘리펀트 · elephant〉

e   e   e   e   e   e   e   e   e   e

e   e   e   e   e   e   e   e   e   e

f 윗니로 아랫 입술을 눌러 「에」그리고 잇달아 「프」를 발음한다.

f^1 [ef 에프]

농장〈팜 · farm〉

f   f   f   f   f   f   f   f   f   f

f   f   f   f   f   f   f   f   f   f

＊이어 쓰기

e f

g 입천장에 혓바닥을 가까이 하고 「지ー」 발음한다.

g [dʒiː 지ー]

할아버지 〈그랜드파더 · grandfather〉

g g g g g g g g g g g

g g g g g g g g g g g

h 「에」는 강하게 「이치」는 약하게 한꺼번에 발음한다.

h [eitʃː 에이치]

집 〈하우스 · house〉

h h h h h h h h h h h

h h h h h h h h h h h

＊이어 쓰기

gh

i 「아」는 강하게 「이」는 약하게, 뒤에 붙여서 발음한다.

ĭ   [ɑi   아이]

아이스크림〈아이스크림 · icecream〉

j 허를 입천장에 대고 「제」는 세게 「이」는 약하게 발음한다.

ĵ   [dʒei   제이]

뛰다〈점프 · jump〉

✱이어 쓰기

26

k 혀의 뒷부분을 입천장에 대고 「케」는 강하게 「이」는 약하게 발음한다.

[kei 케이]

열쇠〈키 · key〉

K	K	K	K	K	K	K	K	K	K

K	K	K	K	K	K	K	K	K	K

l 혀끝을 윗니 뒤에 붙여 「엘」 발음한다.

[el 엘]

편지〈레터 · letter〉

*이어 쓰기

K l

27

m

「에」는 강하게 발음하고「ㅁ」은 입을 다물어 콧소리로 낸다.

m   [em 엠]

원숭이〈멍키·monkey〉

m m m m m m m m m m

m m m m m m m m m m

n

혀끝을 윗니 안쪽에 대면서 강하게「ㄴ」소리를 낸다.

n   [en 엔]

신문〈뉴스페이퍼·newspaper〉

n n n n n n n n n n

n n n n n n n n n n

＊이어 쓰기

m n

o 입을 둥글게 하여 「오」를 세게 「우」는 가볍게 소리를 낸다.

Ｏ　　[ou　오우]

황소〈옥스 · ox〉

p 위 아래 입술을 붙였다가 「피-」하고 발음한다.

ｐ　　[pi:　피-]

그림〈픽처 · picture〉

*이어 쓰기

q 입술을 둥글게 하여 강하고 점점 약하게 「큐-」로 발음한다.

q [kyu: 큐-]

4등분의 한 개〈쿼터·quarter〉

q q q q q q q q q q

q q q q q q q q q q

r 입을 크게 벌려 혀끝을 말며 「아-ㄹ」로 발음한다.

r [ɑːr 아-ㄹ]

비〈레인·rain〉

r r r r r r r r r r

r r r r r r r r r r

＊이어 쓰기

q r

s 「에」는 강하게 「스」는 약하게 발음한다.

s   [es   에스]

학교〈스쿨 · school〉

S S S S S S S S S S

S S S S S S S S S S

t 「티」, 「ㅌ」을 강하게 발음한다.

t   [ti: 티-]

탁자〈테이블 · table〉

✱이어 쓰기

s t

입을 둥글게 내밀고,「이」「우-」를 한끼번에 강하게 발음한다.

영국 국기〈유니온 잭·Union Jack〉

윗니를 아랫 입술에 대고 밖으로 밀며 발음한다.

[vi: 비-]

마을〈빌리지·village〉

＊이어 쓰기

32

「더」는 발음을 강하게 「불유-」는 약하게 붙여서 발음한다.

    [dʌbljúː 더블유-]

손목시계 〈워치 · watch〉

W W W W W W W W W

W W W W W W W W W

 「엑」은 강하게 「스」는 가볍게 붙여서 발음한다.

X   [eks 엑스]

엑스선 〈엑스레이 · X-ray〉

X X X X X X X X X X

X X X X X X X X X X

＊이어 쓰기

W X

33

y 위 아래 입술을 오므렸다가 벌리며 「와」는 세게 「이」는 약하게 발음한다.

y [wai 와이]

마당〈야드 · yard〉

 z 「지」라고 세게 하며 길게 발음한다.

Z [zed/zi: 지-]

얼룩말〈지브러 · zebra〉

＊이어 쓰기

34

블록체 소문자 이어 쓰기

a b c d e f g h i j k l m

a b c d e f g h i j k l m

n o p q r s t u v w x y z

n o p q r s t u v w x y z

필기체 대문자 쓰기

A 소문자와 모양이 같고 위의 두 칸에 차게 쓴다.

비행기〈에어플레인 · airplane〉

a a a a a a a a a a a

a a a a a a a a a a a

B 위보다 아랫 부분의 원을 좀 크게 쓴다..

[bi: 비-]

공〈볼 · ball〉

B B B B B B B B B B B

B B B B B B B B B B B

C 소문자와 모양이 같으나 높이가 다른 점에 주의하여야 한다.

C [si: 시-]

고양이〈캣 · cat〉

C C C C C C C C C C C

C C C C C C C C C C C

D 1과 3의 곡선 사이가 너무 떨어지지 않도록 한다.

D [di: 디-]

문〈도어 · door〉

D D D D D D D D D D D

D D D D D D D D D D D

*이어 쓰기

ABCD

38

E 위보다 아랫 부분의 곡선을 좀 크게 쓴다.

[i: 이-]

눈〈아이 · eye〉

 F 1의 가로 선이 너무 길어지지 않도록 주의한다.

[ef 에프]

아버지〈파더 · father〉

*이어 쓰기

G

처음은 α처럼 쓰다가 3을 직선으로 밑줄에 닿게 쓴다.

[dʒi: 지-]

선물〈기프트 · gift〉

g g g g g g g g g g g

g g g g g g g g g g g

H

1과 2는 서로 바깥쪽으로 쏠리게 쓴다

[eitʃ: 에이치]

말〈호스 · horse〉

N N N N N N N N N N N

N N N N N N N N N N N

＊이어 쓰기

gN

I

1에서부터 시작해야 하며 2는 제1선에서 기본선까지 닿아야 한다.

[ai 아이]

다리미〈아이언 · iron〉

J

2는 직선으로 밑줄까지 내리긋고, 1과 3은 기본선에서 닿도록 한다.

[dʒei 제이]

짧은 웃옷〈재킷 · jacket〉

*이어 쓰기

K

2와 4의 안이 너무 넓어지지 않도록 주의한다.

[kei 케이]

차다〈킥 · kick〉

L

2가 너무 곧게 서지 않도록 주의하면서 쓴다.

[el 엘]

백합〈릴리 · lily〉

*이어 쓰기

1, 2, 3이 오른쪽으로 점점 낮아지게 쓴다.

𝓶 [em 엠]

달〈문 · moon〉

 M과 같은 요령으로 쓴다.

𝓷 [en 엔]

간호원〈널스 · nurse〉

＊이어 쓰기

𝓶𝓷

O 소문자와 모양이 닮았으며 타원형이 약간 기운 것 같이 쓴다.

[ou 오우]

올빼미 〈아울 · owl〉

O O O O O O O O O O

O O O O O O O O O O

P 2가 기본선 아래로 내려오지 않도록 주의한다.

[pi: 피-]

연필 〈펜슬 · pencil〉

P P P P P P P P P P

P P P P P P P P P P

＊이어 쓰기

O P

44

Q

숫자 2의 모양과 비슷하나 머리를 크게 한다.

[kyu: 큐-]

직사각형〈쿼드레이트 · quadrate〉

2 2 2 2 2 2 2 2 2 2 2 2

2 2 2 2 2 2 2 2 2 2 2

R

처음은 P와 같이, 마지막 부분은 K와 같이 쓴다.

[ɑːr 아-ㄹ]

반지〈링 · ring〉

R R R R R R R R R R R

R R R R R R R R R R R

＊이어 쓰기

$2R$

S 위를 아랫 부분보다 작게 하되 2선에서 교차되게 한다.

[es 에스]

신발〈슈즈 · shoes〉

T F의 1, 2와 같은 요령으로 쓴다.

[ti: 티-]

기차〈트레인 · train〉

＊이어 쓰기

46

U N을 거꾸로 쓴 것처럼 쓰며, 1·2가 평행이 되게 쓴다.

[ju: 유-]

아저씨〈엉클 · uncle〉

V U처럼 쓰다가 2의 끝 부분은 첫칸 중간에서 돌린다.

[vi: 비-]

조끼〈베스트 · vest〉

＊이어 쓰기

U와 V를 잇대어 쓰는 기분으로 쓰면 된다.

 [dʌ́bljú: 더블유-]

겨울〈윈터 · winter〉

소문자와 모양이 같으며 1의 곡선을 먼저 쓰고 3은 직선으로 긋는다.

[eks 엑스]

십자로〈엑스로드 · Xroad〉

＊이어 쓰기

Y 처음은 U와 같이 쓰고, 3, 4는 기본선에서 만난다.

[wɑi   와이]

뜨게실〈얀 · yarn〉

Z 숫자 3을 쓰는 기분으로, 처음은 Q처럼 쓴다.

[zed/zi: 지-]

지퍼〈지퍼 · zipper〉

＊이어 쓰기

49

필기체 대문자 이어 쓰기

A B C D E F G H I J K L M

A B C D E F G H I J K L M

50

N O P Q R S T U V W X Y Z

N O P Q R S T U V W X Y Z

필기체 소문자 쓰기

a 대문자와 모양이 같고, 가운데 한 칸에 차게 쓴다.

a [ei 에이]

개미〈앤트 · ant〉

a a a a a a a a a a

a a a a a a a a a a.

b 2는 너무 구부리지 않고 약간 굽힌다.

b [bi: 비-]

곰〈베어 · bear〉

b b b b b b b b b b b

b b b b b b b b b b b

c 대문자와 모양이 같으며, 높이가 다른 점에 주의하여야 한다.

$\stackrel{\frown}{C}$ [si: 시-]

교회〈처치 · church〉

c c c c c c c c c c

c c c c c c c c c c

d a 와 같이 쓰기 시작하지만 2 에서 약간 올라간다.

[di: 디-]

오리〈덕 · duck〉

d d d d d d d d d d d d

d d d d d d d d d d d d

＊이어 쓰기

a b c d

고리 모양의 부분이 바로 서지 않도록 주의한다.

[i: 이-]

 독수리〈이글 · eagle〉

$\mathcal{e}$ $\mathcal{e}$ $\mathcal{e}$ $\mathcal{e}$ $\mathcal{e}$ $\mathcal{e}$ $\mathcal{e}$ $\mathcal{e}$ $\mathcal{e}$ $\mathcal{e}$ $\mathcal{e}$

$\mathcal{e}$ $\mathcal{e}$ $\mathcal{e}$ $\mathcal{e}$ $\mathcal{e}$ $\mathcal{e}$ $\mathcal{e}$ $\mathcal{e}$ $\mathcal{e}$

2를 밑줄까지 닿게 내려 쓴 다음 4에서 돌려준다.

[ef 에프]

개구리〈프로그 · frog〉

f f f f f f f f f f

f f f f f f f f f f

*이어 쓰기

ef

g 대문자와 모양이 같고, 같은 요령으로 쓰면 된다.

[dʒiː 지-]

소녀〈걸 · girl〉

g g g g g g g g g g

g g g g g g g g g g

h 2와 4가 평행이 되도록 쓰되, 그 사이가 너무 넓지 않도록 주의한다.

[eitʃ 에이치]

머리카락〈헤어 · hair〉

h h h h h h h h h h h

h h h h h h h h h h h

*이어 쓰기

g h

i

3은 윗칸의 중간에 찍는다.

[ɑi   아이]

얼음〈아이스 · ice〉

j

1은 i 처럼, 그리고 3은 g 처럼 쓴다.

[dʒei   제이]

재판관〈저지 · judge〉

＊이어 쓰기

k 처음은 h처럼 쓰다가 3에서 꼬부린다.

k [kei 케이]

칼〈나이프 · knife〉

k k k k k k k k k k k

k k k k k k k k k k k

1 b처럼 쓰다가 가운데 칸의 중간에서 끝나도록 한다.

l [el 엘]

등불〈램프 · lamp〉

l l l l l l l l l l l

l l l l l l l l l l l

★이어 쓰기

k l

세로 선들은 같은 간격으로 평행이 되도록 한다.

[em 엠]

지도〈맵·map〉

m m m m m m m m m m

m m m m m m m m m m

 M처럼 쓰나 3의 획이 생략된 모양이다.

[en 엔]

코〈노즈·nose〉

n n n n n n n n n n

n n n n n n n n n n

＊이어 쓰기

m n

58

o 대문자와 모양이 같고, 가운데 한 칸에 차게 쓴다.

[ou 오우]

양파〈어니언 · onion〉

O O O O O O O O O O

O O O O O O O O O O

p 2의 직선이 밑줄까지 내려오도록 쓴다.

[pi: 피-]

돼지〈피그 · pig〉

p p p p p p p p p p

p p p p p p p p p p

＊이어 쓰기

O p

q g 처럼 쓰다가 오른쪽으로 꼬부린다.

[kyu: 큐-]

누비이불〈퀼트 · quilt〉

q q q q q q q q q q q

q q q q q q q q q q

r 2는 제2선에 닿자마자 살짝 꼬아 내린다.

[ɑːr 아-ㄹ]

길〈로드 · road〉

r r r r r r r r r r r r

r r r r r r r r r r r r

＊이어 쓰기

q r

s

r 처럼 2선 위에서 2로 꼬아 내린다.

[es 에스]

바다〈시 · sea〉

s s s s s s s s s s s s

s s s s s s s s s s s s

t

3을 제 2선 위에 긋는다.

[ti: 티-]

나무〈트리 · tree〉

t t t t t t t t t t t t

t t t t t t t t t t t t

＊이어 쓰기

st

u 점을 찍지 않은 i를 둘 겹쳐 쓰듯이 한다.

$\mathcal{U}$ [ju: 유-]   유니콘(외뿔 달린 동물)〈유니콘 · unicorn〉

v 둘째칸에만 쓴다.

$\mathcal{v}$ [vi: 비-]   야채〈베지터블 · vegetable〉

＊이어 쓰기

U와 V를 잇대어 쓰는 기분으로 쓴다.

[dʌ́bljúː   더블유-]

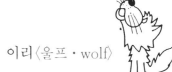

이리〈울프 · wolf〉

(handwriting practice lines — cursive w)

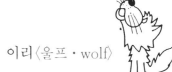

대문자와 모양이 같고 쓰는 요령도 같다.

[eks   엑스]

복사기〈시락스 · xerox〉

(handwriting practice lines — cursive x)

＊이어 쓰기

(handwriting practice line — wx)

63

y 처음은 V와 같이, 마지막은 j 와 같이 쓴다.

[wɑi 와이]

하품하다〈욘 · yawn〉

y y y y y y y y y y y y y

y y y y y y y y y y y y y

z 대문자와 같으나 가운데에 고리가 생기지 않는다.

[zed/zi: 지-]

영(숫자)〈지어로 · zero〉

z z z z z z z z z z z

z z z z z z z z z z z

*이어 쓰기

y z

필기체 소문자 이어 쓰기

a b c d e f g h i j k l m

a b c d e f g h i j k l m

n o p q r s t u v w x y z

n o p q r s t u v w x y z

단어 · 문장 쓰기 연습

* 숫자 쓰기

원〈**1**〉 one	투〈**2**〉 two	스리〈**3**〉 three	포〈**4**〉 four	파이브〈**5**〉 five
one	*two*	*three*	*four*	*five*
one	*two*	*three*	*four*	*five*

식스⟨**6**⟩ six	세븐⟨**7**⟩ seven	에잇⟨**8**⟩ eight	나인⟨**9**⟩ nine	텐⟨**10**⟩ ten
six	seven	eight	nine	ten
six	seven	eight	nine	ten

＊요일 쓰기

선데이〈**일요일**〉
Sunday

먼데이〈**월요일**〉
Monday

튜즈데이〈**화요일**〉
Tuesday

Sunday	Monday	Tuesday
Sunday	Monday	Tuesday

웬즈데이〈수요일〉 Wednesday	서스데이〈목요일〉 Thursday	프라이데이〈금요일〉 Friday
Wednesday	Thursday	Friday
Wednesday	Thursday	Friday

*계절 쓰기

새터데이〈**토요일**〉 Saturday	스프링〈**봄**〉 spring	서머〈**여름**〉 summer
Saturday	*spring*	*summer*
Saturday	*spring*	*summer*

오텀〈가을〉 autumn	윈터〈겨울〉 winter	**1**월 재뉴어리 January
autumn	*winter*	*January*
autumn	*winter*	*January*

2월 페브루어리 February   **3월** 마 치 March   **4월** 에이프릴 April   **5월** 메 이 May

February	March	April	May
February	March	April	May

June	July	August	September

June	July	August	September

10월 옥토버 October   11월 노벰버 November   12월 디셈버 December

October	November	December
October	November	December

✱기초 단어 쓰기

에인절〈천사〉 angel	베어〈곰〉 bear	캐머러〈카메라〉 camera	데스크〈책상〉 desk	아이〈눈〉 eye
angel	*bear*	*camera*	*desk*	*eye*
angel	*bear*	*camera*	*desk*	*eye*

피시 〈물고기〉 fish	트레인 〈기차〉 train	하우스 〈집〉 house	잉크 〈잉크〉 ink	주스 〈주스〉 juice
fish	train	house	ink	juice
fish	train	house	ink	juice

킹〈왕〉 king	라이언〈사자〉 lion	멍키〈원숭이〉 monkey	오린지〈오렌지〉 orange	로즈〈장미〉 rose
king	lion	monkey	orange	rose
king	lion	monkey	orange	rose

(마이　패밀리　아　올　해피)
My family are all happy.
나의　가족은　　모두　행복합니다.

My family are all happy

My family are all happy

(아이 스터디   베리   하드)
I study very hard.
나는   아주   열심히 공부합니다.

I study very hard

I study very hard

영어 펜글씨 교본

1997년 1월 10일 초판 인쇄
2023년 2월 10일 16쇄 발행

편저자 : 편집부
발행자 : 유건희
발행처 : 은광사

등 록 : 제 18-71호
등록일 : 1997년 1월 8일
  소 : 서울 중랑구 봉우재로 58길16
전 화 : 763-1258

8,000원